LOS MAYAS

(en las rocas)

POR:

JAVIER COVO TORRES

Producción Editorial Dante, S.A.

LOS MAYAS
(En las rocas)
Javier Covo Torres

1ra. Ed. Colección "MONO-GRAMAS": 1986

© Editorial Dante, S. A. de C. V.
   Calle 17 Nº 138-B Xprol. Paseo Montejo
   Col. Itzimna C.P. 97100

Queda hecho el depósito que marca la ley
I.S.B.N. 968-7232-34-X

Diseño: Javier Covo Torres.

IMPRESO EN MEXICO
PRINTED IN MEXICO

A ESTEBAN...
YUCATECO INSOMNE
(Y DE PASO, MI HIJO)

EL TERRITORIO DE LOS MAYAS

EL TERRITORIO QUE HABITARON LOS MAYAS OCUPA 400,000 KMS² Y CORRESPONDE A LOS ESTADOS MEXICANOS DE YUCATÁN, CAMPECHE, QUINTANA ROO, PARTE DE TABASCO, PARTE DE CHIAPAS, LAS REPÚBLICAS DE GUATEMALA Y BELICE Y PARTES DE HONDURAS Y EL SALVADOR.

VAMOS A DIVIDIR EN 3 ZONAS EL ÁREA MAYA, PARA ENTENDER MEJOR LA COSA.

LA ZONA NORTE: COMPRENDE EL ESTADO DE YUCATÁN, PARTE DE CAMPECHE Y EL ESTADO DE QUINTANA ROO.

LA ZONA CENTRAL: COMPRENDE EL PETÉN DE GUATEMALA.

LA ZONA SUR: COMPRENDE PARTE DE GUATEMALA, DEL SALVADOR Y DE CHIAPAS.

Golfo de México

Yucatán

ZONA NORTE

Campeche

Quintana Roo

Tabasco

MÉXICO

PETÉN
ZONA CENTRAL

BELICE

Mar Caribe

Chiapas

GUATEMALA

ZONA SUR

EL SALVADOR

HONDURAS

xxx Límites del área maya
-- Área de la cultura maya
= Límites Internacionales
--- Límites de los Estados Mexicanos

LOS ORIGENES

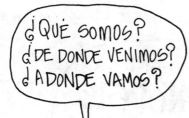

¿QUÉ SOMOS?
¿DE DONDE VENIMOS?
¿A DONDE VAMOS?

ESTÁN MAS PERDIDOS QUE EL HIJO DE LINDBERG.

INVESTIGADORES, ORIGINÓLOGOS Y SABIOS SE HAN QUEMADO LAS PESTAÑAS PARA ARROJAR ALGO DE LUZ SOBRE EL ASUNTO, PERO NADA...

UN GRUPO DE ANTROPÓLOGOS SOSTIENE LA TEORÍA DE QUE POR SUS CARACTERÍSTICAS FÍSICAS (LA CABEZA EN ESPECIAL), LOS MAYAS SON DE PROCEDENCIA ASIÁTICA.

YO NO SÉ, PERO ENTRE EL 3.000 A.C. Y EL 2.000 A.C., YA NOSOTROS ESTÁBAMOS AQUÍ.

Y EN EL 1.000 A.C LA AGRICULTURA SE HABÍA DESARROLLADO Y LOS PUEBLOS DE MESOAMÉRICA TENÍAN UNA CULTURA UNIFORME.

LAS ÉPOCAS HISTÓRICAS DE LOS MAYAS SON:

PRECLÁSICO
- INFERIOR (1.500 A.c. - 800 A.c.)
- MEDIO (800 A.c. - 300 A.c.)
- SUPERIOR (300 A.c. - 150 D.c.)

CLÁSICO
- PROTOCLÁSICO (150 D.c. - 300 D.c.)
- CLÁSICO TEMPRANO (300 D.c. - 600 D.c.)
- CLÁSICO TARDÍO (600 D.c. - 900 D.c.)

EL COLAPSO MAYA EN EL AREA CENTRAL A FINES DEL SIGLO IX

POSTCLÁSICO
- TEMPRANO (1.000 D.c. - 1250 D.c.)
- TARDÍO (1.250 - 1541 D.c.)

EL PERÍODO PRECLÁSICO

EL PRECLÁSICO INFERIOR
(1500 A 800 A.C)

: FUÉ CUANDO LOS PUEBLOS EMPEZARON CON LA AGRICULTURA... VIVÍAN EN ALDEAS CON UNA ECONOMÍA DE AUTOSUFICIENCIA.

LA ÍBAMOS PASANDO COMO SE PUDIERA.

EL PRECLÁSICO MEDIO
(800 – 300 A.C)

LOS MAS VIVOS SE FUERON DEDICANDO A "CULTIVAR" PODERES SOBRENATURALES Y EMPEZARON A MANDAR SOBRE LOS DEMÁS (FUERON LOS PRIMEROS SACERDOTES).

LLEGARON LOS OLMECAS TRAYENDO EL CALENDARIO Y LA ESCRITURA

SE PRODUCÍA MAÍZ EN ABUNDANCIA, RAZÓN POR LA CUAL LA GENTE SE VOLVIÓ SEDENTARIA. FLORECEN LAS PRIMERAS ARTES: CERÁMICA Y CESTERÍA.

EL PRECLÁSICO SUPERIOR
(300 AC – 150 D.C)

: LOS HECHICEROS PASARON DE SER "OIDORES" DE LOS DIOSES A EXPLOTADORES DE LA PEOPLE.

SE INVENTA ESO DE ESCRIBIR EN JEROGLÍFICOS Y SE CREA EL CERO (o).

YA HABÍA QUIEN CARGABA EL BULTO, Y QUIEN LO MANDABA A CARGAR

SE PERFECCIONA EL CALENDARIO Y APARECE LA ARQUITECTURA DE PIEDRA. ¡ARRANCÓ LA CIVILIZACIÓN MAYA, COMPAÑERO!

EL PERÍODO
CLÁSICO
(O EL DESARROLLO DE LOS MAYAS).

LA EVOLUCIÓN DE LA CULTURA MAYA TIENE LUGAR EN ESTE PERÍODO.

LOS SACERDOTES ERAN DUEÑOS DEL CALENDARIO, EL ARTE LA ESCRITURA Y LA ARQUITECTURA.

EL PERÍODO
PROTOCLÁSICO
(150 D.C – 300 D.C)

DE PROTOS = PRIMERO

EN ESTA ÉPOCA SE EMPIEZA A VER EL DESARROLLO DE LOS CENTROS CEREMONIA- LES (HAY MÁS Y MEJORES).

Y LA COSA SOCIAL SE ACLARA: LOS DE ARRIBA Y LOS DE MÁS ARRIBA.

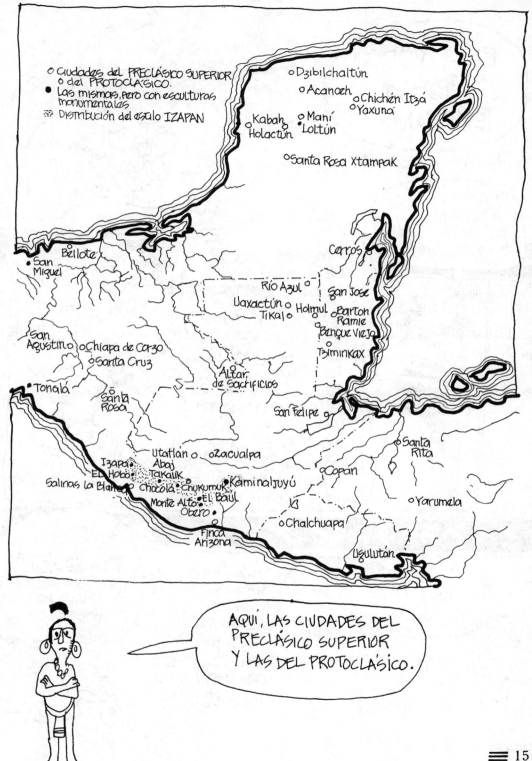

EL PERÍODO **CLÁSICO** TEMPRANO.

DEL 300 AL 600 D.C

EN ESTE PERÍODO LA CULTURA DE LOS MAYAS LLEGA A SU CÚSPIDE.

LA SOCIEDAD FLORECE GRACIAS A LOS GRANDES ADELANTOS TECNOLÓGICOS:

LA AGRICULTURA PROS-PERA POR EL USO DE TERRAZAS Y CANALES DE RIEGO. $ $ FLUYE LA LANA GRACIAS AL COMERCIO INTERNO Y SE LOGRAN MUCHOS ADELANTOS EN LA ARQUITECTURA, LA ASTRONOMÍA, LAS MATEMÁTICAS Y LA ESCRITURA.

Y ESA MADRE ¿DE QUE DIABLOS NOS SIRVIÓ?

LO QUE HABÍA ERA UNA **TEOCRACIA** (GOBIERNO DE SACERDOTES) SOSTENIDA POR EL TRIBUTO DEL PUEBLO.

DE NADA

TODOS LOS ADELANTOS Y AVANCES FUERON UTILIZADOS POR LA CLASE DIRIGENTE COMO ARMAS DE **PODER**.

Y NOS VENIMOS CON EL PERÍODO CLÁSICO TARDÍO. (600 - 900 D.C.)

A ESTAS ALTURAS, LOS MAYAS ESTÁN EN EL PUNTO MÁXIMO DE SU DESARROLLO PRODUCTIVO... CRECE LA POBLACIÓN Y EL TERRITORIO.

Y LOS VIVOS VIVEN DEL BOBO.

Y JÚRALO

Y POR TODOS LADOS EMPIEZAN A APARECER CENTROS CEREMONIALES

LO CUAL NOS HACE VER LA EXPLOTACIÓN INMISERICORDE DE LAS MASAS EN BENEFICIO DE UNA MINORÍA ARISTOCRÁTICA Y SACERDOTAL.

¡LA NOBLEZA, CARAJO!

17

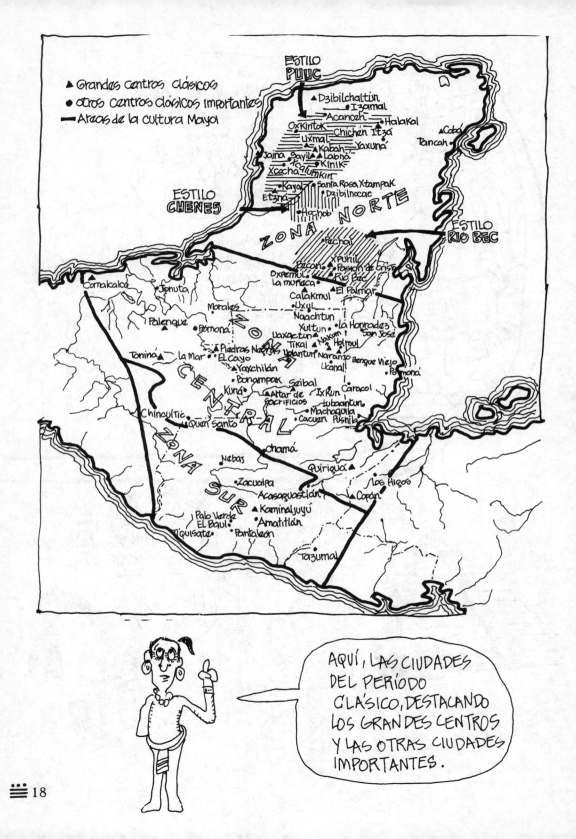

EL PERÍODO POST-CLÁSICO

EMPEZAMOS CON EL **POSTCLÁSICO TEMPRANO** QUE VÁ DESDE EL AÑO **1000** A.C. HASTA EL **1.250** D.C.

LLEGARON LOS MEXICANOS, Y SE FORMÓ UNA CULTURA **MAYA-NAHUA**.

EN ESTE PERÍODO SE FORTALECE EL **COMERCIO**, DE MANERA ESPECIAL CON EL CENTRO DE MÉXICO Y CON AMÉRICA CENTRAL.

> UNOS NOS QUEBRAMOS EL PESCUEZO, Y OTROS EXPORTAN.

PARA SURTIR LOS PEDIDOS DEL MERCADO EXTERIOR, SE INTENSIFICA LA QUEBRADERA DE PESCUEZOS EXTRAYENDO LA SAL, PRO-DUCIENDO LA MIEL, EL COPAL Y EL ALGODÓN.

> TODOS PARA UNO Y UNO PARA UNO

MERCADERES, NOBLEZA Y SACERDOCIO HAN FORMADO UN FRENTE COMÚN, Y PARA GARANTIZAR LA PRODUCCIÓN, LO OBVIO: EL

MILITARISMO

> ¡HORROR!

Los PUTUNES ... PARECE QUE EL PRIMER GRUPO EN PISAR LA TIERRA YUCATECA FUÉ EL DE LOS **CHONTALES** O **PUTUNES**

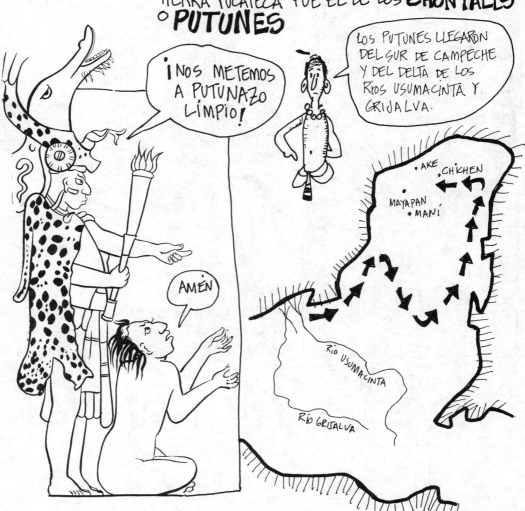

¡LLEGARON LOS ITZÁES!

Y FUNDAMOS CHICHÉN-ITZÁ (POZO DE LOS ITZÁES).

LOS ITZÁES ERAN TAMBIEN DE ORIGEN CHONTAL O PUTÚN, QUE ERAN UNOS MARINOS DE PRIMERA Y QUE SE CONOCÍAN AL DEDILLO LAS VÍAS MARÍTIMAS EN TORNO A LA PENÍNSULA DE YUCATÁN.

LOS ITZÁES SE INSTALARON EN LA ISLA DE COZUMEL... SOL Y MAR

Isla de Cozumel
AKÉ
CHICHÉN ITZÁ
Mayapán
Maní

DESDE COZUMEL ENTRARON A LA PENÍNSULA ASENTÁNDOSE EN VARIOS LUGARES, ENTRE ELLOS **CHICHÉN-ITZÁ** POR ALLÁ EN EL AÑO 918 D.C.

ESTE GRUPO DE LOS ITZÁES DOMINABA UNA REGIÓN CONSIDERABLE Y MANTENÍAN RELACIONES BILATERALES CON TABASCO Y EL SUR DE CAMPECHE.

FUE POR AHÍ, POR DONDE SE METIÓ OTRO GRUPO PUTÚN —DE HABLA NAHUATL— CON INFLUENCIA DE TULA, QUE LLEGARON A CHICHÉN-ITZÁ EN EL 970 D.C

Y LLEGÓ EL SEÑOR KUKULCÁN A YUCATÁN.

CONSTRUYERON EL CASTILLO, EL TEMPLO DE LOS GUERREROS, EL JUEGO DE PELOTA Y TRAJERON LA METALURGIA.

KUKULCÁN HIZO NEGOCIACIONES CON LOS SEÑORES DEL LUGAR PARA QUE SE FUERAN CON ÉL A LA NUEVA CIUDAD QUE FUNDARÍA Y EN LA CUAL FLORECE-RÍAN TODAS LAS COSAS:

EL GOBIERNO, EL COMERCIO Y LAS ARTES.

KUKULCÁN FUNDÓ UNA CIUDAD QUE SE LLAMÓ **MAYAPÁN** (QUE QUIERE DECIR "EL PENDÓN DE LA MAYA") DONDE VIVIÓ EN PAZ Y ARMONÍA CON TODOS LOS SEÑORES.

DESPUÉS DE LO CUAL REGRESÓ A MÉXICO, POR DONDE HABÍA VENIDO.

ERA TAN BUENA PAPA EL TAL KUKULCÁN, QUE LO TUVIMOS POR **DIOS**.

¡POR DIOS!

¡ LLEGARON LOS **XIUES**!

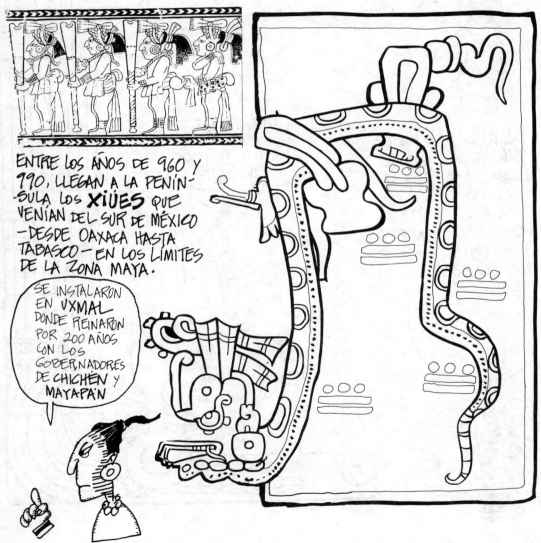

ENTRE LOS AÑOS DE 960 Y 990, LLEGAN A LA PENÍNSULA LOS **XIUES** QUE VENÍAN DEL SUR DE MÉXICO —DESDE OAXACA HASTA TABASCO— EN LOS LÍMITES DE LA ZONA MAYA.

SE INSTALARON EN UXMAL DONDE REINARON POR 200 AÑOS CON LOS GOBERNADORES DE CHICHÉN Y MAYAPÁN

EL PERÍODO POSTCLÁSICO TARDÍO
(1250 - 1524/1541 D.C.)

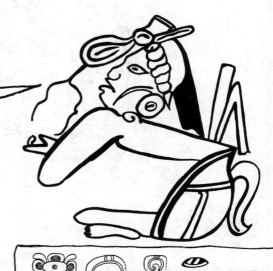

EMPIEZA LA DESINTEGRACIÓN POLÍTICOSOCIOECO-NOMICACULTURAL DE LOS MAYAS

MAYAPÁN SE CONVIERTE EN LA QUE MANDA EN TODO EL NORTE DE LA PENÍNSULA DE YUCATÁN.

¿TIERRAS COMUNALES? YA NO HAY

AHORA SON DE LOS QUE MANDAN: GUERREROS Y MERCADERES

¿OPRIMÍDOS? ¿CUAL OPRIMÍDO?

EXPLOTAN LAS CONTRA-DICCIONES SOCIALES Y UNA REBELIÓN ACABA CON LOS **COCOM**, UNA FAMILIA QUE GOBERNABA EN YUCATÁN, Y LA CIUDAD DE MAYAPÁN ES BORRADA DEL MAPA. ENTONCES APA-RECEN LOS CACICAZGOS (PEQUEÑOS ESTADOS INDEPENDIENTES) ... FUÉ LO QUE ENCONTRARON LOS ESPAÑOLES.

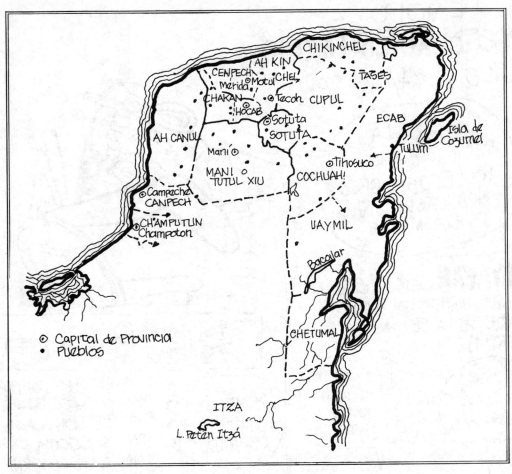

¡ MUERTE A LOS INFIELES !

"¡¡ TOUCHÉ !!"

DESPUÉS DE LA CAÍDA DE **MAYAPÁN**, LOS MAYAS SE DIVIDIERON EN CACICAZGOS. FUERON OCHENTA AÑOS DE FRACASO POLÍTICO. LOS MAYAS VENÍAN DE CAPA CAÍDA CUANDO LLEGARON ELLOS, LOS DEL MUNDO VIEJO, LOS BARBADOS... ELLOS, GODOS Y TEMPERAMENTALES... ELLOS, LOS **ESPAÑOLES**, QUE TRAJERON, JUNTO CON LA ESPADA Y LA CRUZ, EL GONOCOCO.

Y VIVA EZPAÑA, CARAXO

SIN EMBARGO MAYAPÁN (POR AQUELLO DE SU "LIGA") BIEN MERECE UNA CÁPSULA HISTÓRICA.

MISMA QUE VIENE A CONTINUACIÓN

CÁPSULA HISTÓRICA.
POSOLOGÍA: UNA
CADA 6 HORAS EN
AGUDOS CASOS
      DIARRÉICOS

LA LIGA DE MAYAPÁN

MERCADO COMÚN Y PACTO DE "NO AGRESIÓN."

LA "LIGA DE MAYAPÁN" ESTABA FORMADA POR MAYAPÁN (OBVIO), UXMAL, CHICHÉN ITZÁ Y OTRAS CIUDADES-ESTADO DE LA REGIÓN.

FUÉ UNA ÉPOCA DE AMOR Y PAZ QUE DURÓ UNOS 200 AÑOS.

FUÉ CUANDO EN CHICHÉN ITZÁ FLORECIÓ EL ARTE MAYA-TOLTECA.

ERA DEMASIADO HERMOSO PARA SER CIERTO...
LA CHISMOGRAFÍA OFICIAL CONSIDERA QUE LA GUERRA REVENTÓ PORQUE LOS DE CHICHÉN LE ROBARON LA NOVIA A UN JEFE DE LOS DE MAYAPÁN...

Y SE ARMÓ UNA GRESCA TREMEBUNDA:
LOS DE MAYAPÁN SE LANZARON CONTRA LOS ITZÁES, DERROTÁNDOLOS, Y DESPUES, VICEVERSA.
LOS ITZÁES ATACARON Y SE TOMARON LA CIUDAD DE MAYAPÁN.

¡RRAPAPÁN RRAPAPÁN ARRIBA, MAYAPÁN !

AHORA ME CONSIGO UNOS MERCENARIOS NAHUAS, ACABO CON LOS ITZÁES Y LES DOY PARTE DEL PASTEL.

← JEFE MAYAPÁN ARDIDO POR LA DERROTA.

Y EN EFECTO, ASÍ FUÉ: MAYAPÁN IMPUSO SU DOMINIO EN TODO YUCATÁN, EJERCIENDO UN GOBIERNO DE CARÁCTER CENTRALISTA.

QUE CON EL PASO DEL TIEMPO SE VOLVIÓ EXPLOTADOR Y DESPÓTICO

EN ESTA ÉPOCA, EL ARTE IBA DE CAPA CAÍDA, PERO POR OTRO LADO HUBO MUCHOS PROGRESOS: EL COBRE SE EMPEZÓ A USAR PARA MUCHAS COSAS, APARECE EL ARCO Y LA FLECHA ¡TAN ÚTILES PARA LA GUERRA! ...Y PARA LA CAZA, CLARO.

EL TIEMPO QUE MAYAPÁN ESTUVO DOMINANDO, FUÉ COLOR DE HORMIGA PARA LA GENTE.
(DIGO, LA GENTE QUE NO TENÍA DÓLARES EN EL EXTRANJERO)

A COCOM, EL GOBERNADOR DE MAYAPÁN, ¡SE LE ABRIERON LAS AGALLAS.

SE HIZO AMIGO DE LA GENTE QUE LOS REYES DE MÉXICO TENÍAN EN TABASCO, LES PROMETIÓ ENTREGARLES LA CIUDAD CON TAL DE PARTICIPAR EN LAS TAJADAS DEL PASTEL.

COCOM TRAJO SUS MEXICAS A MAYAPÁN, DONDE IMPLANTÓ UN RÉGIMEN DE ABUSO Y OPRESIÓN.

COCOM TIENE EL HONOR DE SER EL PRIMER MAYA QUE HIZO ESCLAVOS.

LOS SEÑORES PUDIENTES DE MAYAPÁN TUVIERON QUE METERSE EL RABO ENTRE LAS PIER-NAS Y OBEDECER A COCOM.

Y LA COSA IBA PARA LARGO: A COCOM LE SIGUIÓ UN COCOMCITO, (OTRO DE LA MISMA CALAÑA).

LOS SUCESORES DE LA CASA DE COCOM PINTABAN SER PEORES QUE EL MISMO COCOM. TIRANÍA, ESCLAVITUD Y OPRESIÓN SEGUÍAN A LA ORDEN DEL DÍA.

(Y LLEGARON) LAS GENERALIDADES

DONDE SE CUENTA COMO SE PORTABAN LOS MAYAS EN LOS RENGLONES DE:

- SOCIEDAD
- POLÍTICA
- RELIGIÓN
- ARTE
- CIENCIA
- COSTUMBRES
- COMERCIO
- INDUSTRIAS
- AGRICULTURA

...Y DEMÁS ETCÉTERAS.

LA SOCIEDAD

ARRIBA ESTÁBAMOS LOS QUE ÉRAMOS Y ÉRAMOS LOS QUE ESTÁBAMOS: **LA NOBLEZA**.

EN MEDIO (PERO MIRANDO A LOS DE ARRIBA) ESTABAN LOS **MERCADERES**.

Y ABAJO EN LA VIL OLLA, LOS DE SIEMPRE: **EL PUEBLO**.

LA NOBLEZA

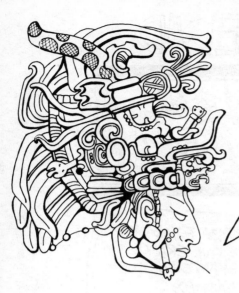

ESTABA FORMADA POR DOS GRUPOS:
1) LOS **AHKINOOB** y
2) LOS **ALMEHENOOB**

LOS AHKINOOB

ERA EL GRUPO FORMADO POR LOS **SACERDOTES** A LOS QUE TAMBIEN SE LES LLAMABA LOS DEL SOL.

¿ALUMBRABAN?

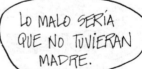

LOS ALMEHENOOB

ERA EL GRUPO FORMADO POR LOS **SEÑORES** (Y DE LOS QUE SE DECÍA QUE TENÍAN PADRE Y MADRE)

LO MALO SERÍA QUE NO TUVIERAN MADRE.

Y A MI LO UNICO QUE ME INTERESA ES EL ALZA EN LOS ELOTES.

LOS MERCADERES

ERAN UNA CLASE INTERMEDIA, NI FÚ NI FÁ, PERO CON GANAS DE PERTENECER A LA NOBLEZA.

Y, POR ÚLTIMO, **EL PUEBLO**, O LA GENTE CORRIENTE Y COMÚN, QUE SE DIVIDÍAN EN:

1) LOS **AH CHEMBAL UINICOOB**
2) LOS **YALBA UINICOOB** Y
3) LOS **PPENCATOOB**

MUCHO **OOB** PODÍAN TENER PERO COMÍAN M...

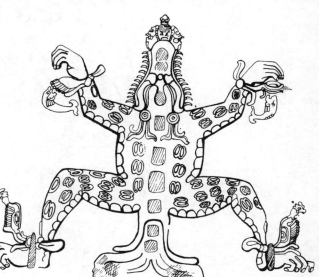

¡Y ES QUE SE VIVEN QUEJANDO!

1) LOS AH CHEMBAL UINICOOB

ERAN LOS "HOMBRES INFERIORES" O LLAMADOS "HOMBRES VULGARES".

¿VULGARES? ¡TU ⊕✳⊗✖☯⊛!XX MADRE!

2) LOS YALBA UINICOOB

IGUAL DE FREGADOS QUE LOS AH CHEMBAL, ERAN LOS HOMBRES (LOS YALBA) CONSIDERADOS COMO PEQUEÑOS (TAMBIÉN SE CONOCÍAN COMO "PLEBEYOS)

3) LOS PPENCATOOB

ERAN LOS DEL FRÍO SÓTANO: LOS ESCLAVOS.

SE PODÍA SER ESCLAVO POR UNA DE ESTAS CAUSAS:

A) POR HABER NACIDO ESCLAVO
B) POR PRISIONERO DE GUERRA
C) POR RATERO
D) POR SER UN INDIVIDUO COMPRADO
E) POR SER HUÉRFANO

LA (COCHINA) POLÍTICA

LA GENTECITA DE LA NOBLEZA ERA LA DEL GOBIERNO (Y PERDÓN POR LA REDUNDANCIA). LA COSA ERA ASÍ:

DE RODILLAS, PLEASE

ARRIBA, PISANDO A TODA LA GREY, ESTABA EL

HALACH UINIC

(QUE QUIERE DECIR "HOMBRE VERDADERO", "REY", "MONARCA" Y "GRAN SEÑOR"). TAMBIÉN ERA LLAMADO **AHAU** Y TENÍA FUNCIONES CIVILES Y RELIGIOSAS.

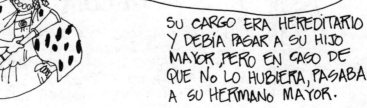

EL SEÑOR ERA LA ÚLTIMA PALABRA EN POLÍTICA INTERIOR Y EXTERIOR.

SU CARGO ERA HEREDITARIO Y DEBÍA PASAR A SU HIJO MAYOR, PERO EN CASO DE QUE NO LO HUBIERA, PASABA A SU HERMANO MAYOR.

LUEGO VENÍAN LOS DEL CONSEJO, EN NÚMERO DE 203, CADA UNO CON VOZ Y VOTO EN EL GOBIERNO Y SIN CUYA APROBACIÓN NO PODÍA HACERSE NADA. SE CONOCÍAN COMO LOS **AH CUCHCAB**

SERRUCHO Y MORDIDAS A LA ORDEN DEL DÍA.

DESPUÉS ESTABAN LOS **BATABOOB**, QUE ERAN LOS JEFES MENORES Y TENÍAN FUNCIONES CIVILES Y RELIGIOSAS.

CADA **BATAB** TENÍA SUS PROPIOS SOLDADOS (ERAN -ADEMÁS- JEFES MILITARES) AUNQUE A LA HORA DE LA GUERRA TODOS SERVÍAN A UN JEFE MILITAR SUPREMO: EL **NACOM**.

ERAN FAMILIARES DEL HALACH UINIC, HABÍA NEPOTISMO Y DEL BUENO.

LOS BATABOOB PRESIDÍAN EL CONSEJO Y CUIDABAN DE QUE LAS CASAS SE MANTUVIERAN Y QUE LA GENTE **PAGARA** LOS TRIBUTOS AL HALACH UINIC

SEGUIAN LUEGO LOS **AH KULELOOB**
QUE ERAN LOS
"PROCURADORES",
QUE EJECUTABAN
LAS ORDENES DEL
BATAB, A QUIEN
ACOMPAÑABAN A
TODOS LOS SITIOS.
LOS AH KULELOOB
ERAN DOS O TRES.

LO DICHO POR
EL **BATAB**,
ESTÁ BIEN
DICHO.

VIENEN AHORA LOS **AH HOLPOPOOB**
(QUE SIGNIFICA "LOS QUE ESTÁN A LA CABEZA DE
LA ESTERA"). SE DICE QUE AYUDABAN A LOS
SEÑORES EN SU GOBIERNO Y QUE TENÍAN A
SU CARGO LA **POPOLNA**, QUE ERA LA CASA
DONDE SE REUNÍAN LOS HOMBRES PARA
HABLAR DE LOS NEGOCIOS PÚBLICOS, Y PARA
APRENDER LOS BAILES PARA LAS FIESTAS.

EL **AH HOLPOP**
ERA EL CANTOR DE
CABECERA, ENCARGADO
EN CADA PUEBLO, DE
LOS BAILES Y DE LOS
INSTRUMENTOS
MUSICALES.

¡¡LA LEY!!

Y POR ÚLTIMO ESTABAN
LOS **TUPILES**, QUE ERAN LOS
ALGUACILES Y EJECUTABAN LAS
ORDENES DE LOS DE ARRIBA.

LA RELIGIÓN

...ESE OPIO SINVERGUENZÓN...

LA RELIGIÓN DE LOS MAYAS ERA **POLITEÍSTA**...

TENÍAMOS DIOSES HASTA PARA IR AL BAÑO

HABÍA DIOSES QUE SE LLEVABAN MUY BIEN CON LA GENTE, PERO...

HABÍAN OTROS QUE NOS HACÍAN LA VIDA DE CUADRITOS

EXISTÍA TAMBIÉN ESA CLASE DE DIOSES QUE ERAN LAS DOS COSAS AL MISMO TIEMPO.

LOS DIOSES QUE REPRESENTABAN LAS FUERZAS NATURALES (AGUA, LLUVIA, SEQUÍA...) ERAN VENERADOS CON ESPECIAL INTERÉS.

¿QUIERO LLUVIA? -LE REZO A **CHAAC** Y PUNTO.

LAS CREENCIAS

HASTA NO VER NO CREER.

CREÍAMOS (A DIOS GRACIAS) EN LA **INMORTALIDAD** DEL ALMA Y EN LA **VIDA DEL MUNDO FUTURO**, AMÉN.

LOS MAYAS CREÍAN QUE LOS SACERDOTES, LOS GUERREROS QUE MORÍAN EN LAS BATALLAS, LAS MUJERES MUERTAS EN EL PARTO Y LOS SACRIFICADOS A LOS DIOSES, SE IBAN A CIELOS DE 5 ESTRELLAS. (CON SAUNA Y TODO)

EN LO MÁS ALTO DE LOS CIELOS HABÍA UNA **CEIBA GIGANTESCA** —ALGO ASÍ COMO EL PRIMER ÁRBOL DEL MUNDO— A CUYA SOMBRA LAS ALMAS ACALORADAS GOZABAN DEL CELESTIAL REPOSO.

HAY QUE VER LO QUE UNO SUDA PARA GANARSE EL CIELO

EL MITNAL —ALGO ASÍ COMO EL INFIERNO— LO DIRIGÍA **AH PUCH** DE QUIEN NO QUIERO HABLAR.

FIESTAS Y RITOS RELIGIOSOS

LOS MAYAS CREÍAN A OJO CERRADO QUE LOS SACERDOTES SABÍAN TODO LO QUE LOS DIOSES QUERÍAN Y LO QUE LES DISGUSTABA.

¿Y QUE PASABA CUANDO LOS SACERDOTES NO ATINABAN EN SUS PREDICCIONES?

PUES ERA QUE LOS DIOSES ANDABAN MOLESTOS.

PARA LOS MAYAS LA EXISTENCIA ESTABA UNIDA CON EL TIEMPO, QUE INFLUÍA DIRECTAMENTE EN SU DESTINO (... CREÍAN EN EL HORÓSCOPO.)

TODA FIESTA SE INICIABA CON EXORCISMOS, AYUNOS Y ABSTINENCIAS. EN ESPECIAL LA PARRANDA DE AÑO NUEVO QUE SE HACÍA EL PRIMER DIA DEL MES POP.

← TACO

LOS SACERDOTES SE LANZABAN A UN AYUNO DE MIEDO. —¡HABÍA QUE CONVENCER AL PUEBLO!

TODAS LAS CASAS SE LIMPIABAN, Y TODOS LOS TRASTOS SE BOTABAN. TODA LA BASURA DEL AÑO ERA ARROJADA FUERA DE LA POBLACIÓN.

LA COSMOGONÍA MAYA

PARA LOS MAYAS, EL MUNDO ERA UN BLOQUE PLANO Y CUADRADO, CON LOS CIELOS ARRIBA Y LOS INFIERNOS ABAJO.

HABÍA 13 CIELOS PUESTOS UNO SOBRE OTRO EN CAPAS, EN CADA UNA DE LAS CUALES ESTABA UNO DE LOS DIOSES DE LOS MUNDOS SUPERIORES LLAMADOS OXLAHUNTIKÚ

Y HABÍA TAMBIEN, VIENDO PARA ABAJO, NUEVE MUNDOS TRUCULENTOS —TAMBIEN EN CAPAS— CADA UNA CON UNO DE LOS DIOSES DE LAS REGIONES INFERIORES, LLAMADOS BOLONTIKÚ

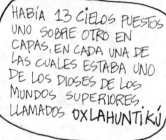

LA TIERRA ERA LA PRIMERA CAPA DE LOS TRECE MUNDOS SUPERIORES.

EL MITNAL ERA EL MUNDO MAS BAJO —LA OLLA DONDE ESTABA AH PUCH, EL DIOS DE LA MUERTE (DE QUIEN NO QUIERO HABLAR)

AH PUCH MUERTO DE LA RISA

EN LOS 4 PUNTOS CARDINALES ESTABAN LOS **BACABS**

QUE SOSTENÍAMOS EL MUNDO.

MUNDO

ZAC
NORTE
(COLOR AMARILLO)

EK
OESTE
(COLOR NEGRO)

YAAX
CENTRO
(COLOR VERDE)

CHAC
ESTE
(COLOR ROJO)

KAN
SUR
(COLOR AMARILLO)

CADA UNO DE LOS PUNTOS CARDINALES TENÍA UN COLOR QUE LE DABA EL NOMBRE AL **BACAB** QUE LO OCUPABA

SEGÚN EL POPOL VUH. (O LA BIBLIA MAYA), AL PRINCIPIO SÓLO ESTABA EL MAR Y EL CIELO. AL VER LA COSA TAN ABURRIDA, EL CREADOR SE PUSO A INVENTAR Y ENTONCES APARECIERON RÍOS, ÁRBOLES Y ANIMALES.

Y PARA QUE LO ADORARAN, LO GLORIFICARAN Y LE DIERAN GRACIAS, **CHAZ** CREÓ AL HOMBRE.

EL PRIMER HOMBRE QUE HICIERON SALIÓ MAL: ERA DE BARRO...

CON SU POCO DE BOÑIGA, CLARO.

EL SEGUNDO HOMBRE ESTUVO MEJORCITO: FUÉ DE MADERA. ESTOS SE PARECÍAN A NOSOTROS, PERO NO SABÍAN ADORAR A LOS DIOSES, COSA QUE NO GUSTÓ MUCHO PORQUE MANDA-RON UN DILUVIO QUE LOS PUDRIÓ A TODOS... NI UN NOÉ QUE SE SALVARA.

ESTOS HOMBRES DE MADERA SE REPRODUJERON. (NI ME PREGUNTEN CÓMO)

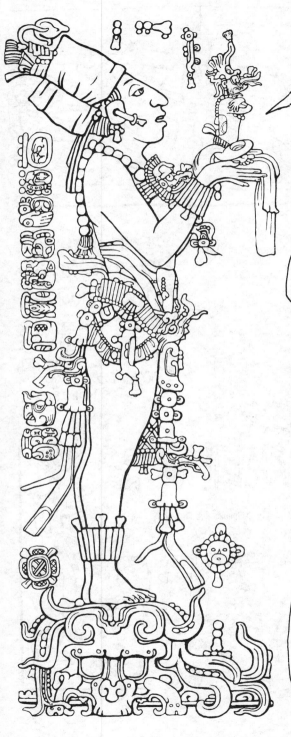

UNO DE CARNITA, DOS DE SESO Y CUATRO AL PASTOR

HASTA QUE SE LES OCURRIÓ CREAR LOS HOMBRES DE **MAIZ**. TAL COMO LO OYE, COMPAÑERO: DE M-A-I-Z

LA CARNE SE LA HICIERON DE MAIZ BLANCO Y DE MAIZ AMARILLO

LOS CUATRO HOMBRES
—O LAS CUATRO VÍCTIMAS—
FUERON:

• BALAM-QUITZÉ

• BALAM-ACAB

• MAHUCUTAH

• IQUÍ-BALAM

TUVO EL CREADOR LA DELICADEZA DE ENDOSARLE ESPOSA A CADA UNO.

Y DE AHÍ EN ADELANTE FUE SOLO CUESTIÓN DE TIEMPO PARA QUE SURGIERAN ALDEAS, TRIBUS, CIUDADES, Y SE POBLARA EL MUNDO.

LOS MAYAS TENÍAN UN DIOS CREADOR —LO ÚLTIMO EN GUARACHA— AL QUE LLAMABAN **HUNAB KU**

SEGUÍAN LUEGO UNA RECUA DE DIOSES PARA LA LLUVIA, EL HURACÁN, LA SEQUÍA ETC... Y ETC...

LA CREMA Y NATA DIOSERIL LA PODEMOS DIVIDIR ASÍ:

- DIOSES DEL FIRMAMENTO
- DIOSES DE LOS ELEMENTOS
- DIOSES PATRONOS
- DIOSES SUBTERRÁNEOS (O DEL INFRAMUNDO)
- DIOSES DE LA GUERRA
- DIOSES DEL TIEMPO Y DE LOS NÚMEROS.

A LOS DIOSES MAYAS SE LES ATRIBUÍAN DIVERSOS ORÍGENES Y CUALIDADES CONTRADICTORIAS (ERAN BUENOS Y MALOS A LA VEZ)

DIOSES DEL FIRMAMENTO

KIN (EL SOL) PATRÓN DE LA MÚSICA LA POESÍA Y LA CAZA

UH (LA LUNA) PATRONA DEL TEJIDO, DEL MAÍZ, DEL PARTO Y LAS COSECHAS

XAMAN EK (DIOS DE LA ESTRELLA POLAR) PROTEGÍA A VIAJEROS Y MERCADERES.

NOH EK. EL PLANETA VENUS.

DIOSES DE LOS ELEMENTOS

A LA CABEZA DEL PANTEÓN MAYA TENEMOS A **ITZAMNÁ**, QUE ERA UN DIOS BUENO Y AMIGO DEL HOMBRE. ITZAMNÁ ERA EL AMO Y SEÑOR DE LOS CIELOS, DEL DÍA Y DE LA NOCHE.

ERA EL SANTO PATRONO DEL DÍA AHAU, EL MÁS IMPORTANTE DE LOS 20 DÍAS MAYAS

PRIMER LUGAR EN LA CELESTIAL BUROCRACIA.

ITZAMNÁ (HIJO DE HUNAB-KU, EL CREADOR)

ITZAMNÁ FUÉ EL PRIMER SACERDOTE, EL INVENTOR DE LA ESCRITURA Y DE LOS LIBROS, Y ERA INVOCADO PARA QUE EVITARA LAS CALAMIDADES PÚBLICAS.

FUÉ ÉL QUIEN LE PUSO LOS NOMBRES A LAS REGIONES DE YUCATÁN

57

CHAAC

CHAAC ES EL DIOS DE LA LLUVIA Y DE TODO LO QUE SE RELACIONA CON ELLA.

EL RELÁMPAGO, EL RAYO, EL TRUENO. EL DIOS CHAAC ERA UN PROTECTOR DE LA AGRICULTURA Y ES ÍNTIMO AMIGO DE TODOS LOS DIOSES QUE TIENEN QUE VER CON ELLA.

CHAAC NO ERA UN SOLO DIOS, SINO CUATRO DIOSES DISTINTOS Y UN SOLO DIOS VERDADERO

CHAAC ERA LOS 4 DIOSES DE LOS 4 PUNTOS CARDINALES, CADA UNO CON SU PROPIO COLOR:

A) CHAAC XIB CHAAC
EL HOMBRE ROJO, ERA EL CHAAC DEL ESTE

B) SAC XIB CHAAC
EL BLANCO, CHAAC DEL NORTE

C) EK XIB CHAAC
EL NEGRO, CHAAC DEL OESTE

D) KAN XIB CHAAC
EL AMARILLO, CHAAC DEL SUR

AGUAS, CHAAC, AGUAS

ADEMÁS DE CHAAC, ESTABAN LOS **CHAQUES**, QUE ERAN CUATRO AYUDANTES EN LOS QUE EL VIEJO CHAAC DELEGA SUS FUNCIONES.

SIN SALARIO FIJO NI AUMENTO PORCENTUAL RESPECTO AL GALOPE INFLACIONARIO

LOS CHAQUES LLEVABAN UNAS CALABAZAS CON AGUA, UNOS SACOS CON VIENTO (SÉPALO) Y UN TAMBOR

A LA HORA DEL TRABAJO LE DABAN TANGANAZOS A LA CALABAZA DEJANDO CAER EL AGUA DE ADENTRO. — ERA LA LLUVIA —

ABRÍAN LOS SACOS Y SALÍAN LOS VIENTOS Y CON EL TAMBOR, PUES LOS TRUENOS.

HABÍA OTROS 4 HERMANOS; LOS **BACABES**

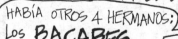

LOS BACABES ERAN LOS ENCARGADOS DE PROTEGER A LA HUMANIDAD, PORQUE —¡SOSTENÍAN EL CIELO!— EN LOS CUATRO PUNTOS CARDINALES PARA IMPEDIR QUE TODA EL AGUA CAYERA SOBRE LA TIERRA.

LOS BACABES TRAÍAN —DE ACUERDO AL AÑO— BUENA O MALA FORTUNA

59

LOS DIOSES PATRONOS

EMPEZAMOS CON **IXCHEL** LA SEÑORA DE ITZAMNÁ. SE ASOCIABA A LA MUJER Y ERA LA DIOSA DE LA MEDICINA Y DE LA PROCREACIÓN.
SE RELACIONABA CON EL AGUA Y SE CREÍA QUE VIVÍA EN LOS LAGOS, LAGUNAS Y CENOTES.

¡YA SOMOS 80 MILLONES, IXCHEL. NO NOS QUIERAS TANTO!

AHÍ TE VOY IXTAB

IXTAB ERA LA DIOSA DEL SUICIDIO. LOS MAYAS CREÍAN QUE LOS SUICIDAS IBAN DERECHITO AL PARAÍSO

LA AHORCADERA DEBIÓ SER ESPANTOSA ENTRE LOS MAYAS.

CLUB DE AMANTES DEL IXTAB

EK CHUAH ERA EL DIOS DE LOS MERCADERES Y EL PATRON DEL CACAO

EK CHUAH ES UN DIOS DE DOS FILOS:

CUANDO ES BUENO, PROTEGE A LOS COMERCIANTES.

Y CUANDO ES MALO SE LE ASOCIA CON LA GUERRA.

CHUAH-CHUAH, EK CHUAH, SUELTA LA LANA CHUAH-CHUAH

✱ MERCADER EN TIEMPOS DE CRISIS

VIENE AHORA EL SEÑOR DE LOS CAMPOS Y LA AGRICULTURA, EL DIOS DEL MAIZ: YUM KAX

YUM KAX ERA EL PATRONO DE LA LABRANZA Y, COMO EL MAIZ, TENIA MUCHOS ENEMIGOS.
SU DESTINO IBA LIGADO A LOS DIOSES DE LA LLUVIA, LA SEQUIA, EL VIENTO, EL HAMBRE Y LA MUERTE.

KAX-KAX YUM-KAX

Y PARA TERMINAR CON ESTA SERIE DE DIOSES PATRONOS, FALTA MENCIONAR A LOS **MUCEMCABOOB**, DIOSES DE LAS ABEJAS Y SEÑORES DEL BOSQUE.

BZZZZ-Z-Z-Z

LOS **MAMES** ERAN DIOSES DEL MAL QUE SOLO EN TIEMPOS DE CRISIS APARECIAN. —

¡A CORRER SE HA DICHO!

LOS DIOSES SUBTERRANEOS

O DEL INFRAMUNDO

AH PUCH
DIOS DE LA MORTIS

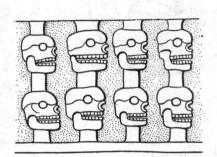

AQUÍ TENEMOS A DON **AH PUCH**, GERENTE GENERAL DE DEMONIO'S CORPORATIONS

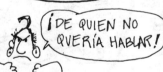

¡DE QUIEN NO QUERÍA HABLAR!

ES—POR SI NO SE HA DADO CUENTA—UN DIOS MALÉVOLO. SE LE ASOCIA CON EL DIOS DE LA GUERRA Y DE LOS SACRIFICIOS.
SUS AMIGOS SON EL PERRO, EL AVE MOÁN Y LA LECHUZA (PÁJAROS DE MAL AGÜERO).

EL DIOS **JAGUAR**, Y LOS **BOLONTIKÚ** (O 9 SEÑORES DE LA NOCHE) COMPLETAN EL GREMIO INFERNAL.

LOS DIOSES DE LA GUERRA

¡CHUC!

ESTOS DIOSES ACOMPAÑAN A AH PUCH (DIOS DE LA MUERTE) EN SUS CORRERÍAS.

Y COMO ANDAN LAS COSAS, ESTOS DIOSES DEBEN ANDAR SUELTOS TODAVÍA.

LOS DÍAS, LOS MESES Y LOS NÚMEROS DEL 1 AL 13 ERAN DIOSES. ERAN DIOSES DEL TIEMPO Y DE LOS NÚMEROS

YO ADORO EL NUEVE SI ME LO ACOMPAÑAN DE SEIS CEROS

Y NO PODRÍAMOS CERRAR ESTE CAPÍTULO SIN HABLAR DE **KUKULCAN**, HOMBRE HECHO DIOS, A QUIEN SE LE ATRIBUYE HABER PUESTO LOS NOMBRES A LOS LUGARES, HABER REPARTIDO LAS TIERRAS —SIN REFORMA AGRARIA— Y HABER INVENTADO LA ESCRITURA.

Primero

Segundo   Tercero

Cuarto   Quinto   Sexto

Séptimo   Octavo   Noveno

JEROGLÍFICO DE LOS 9 NOMBRES DE LAS 9 DEIDADES DE LAS REGIONES TRUCULENTAS.

LOS OLMECAS (ANTES QUE LOS MAYAS) SE INVENTARON UN SISTEMITA DE REGISTRO DEL TIEMPO Y CON ELLO UNA FORMA DE ESCRIBIR, UNA FORMA DE ASTRONOMÍA Y DE MATEMÁTICAS PARA APLICARLA A SUS CULTIVOS.

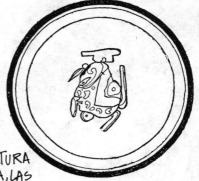

FUE CON BASE EN LA AGRICULTURA QUE SE INVENTÓ LA ESCRITURA, LAS REGLAS MATEMÁTICAS Y LOS CALEN-DARIOS.

ESCRITURA y NUMERACIÓN

EN MATEMÁTICAS NI HABLAR: ERAMOS UNOS TOLETES

LA ESCRITURA DE LOS MAYAS FUÉ "IDEOGRÁFICA" - PORQUE SUS CARACTERES NO REPRESENTAN FIGURAS NI SONIDOS, SINO EL SÍMBOLO DE LAS IDEAS.

2+2=4

LOS MAYAS -ÓIGASE BIEN- INVENTARON EL **CERO** MUCHOS SIGLOS ANTES QUE LOS HINDÚES (QUE LO PUSIERON DE MODA EN LAS EUROPAS CUANDO DESARROLLA-RON EL SISTEMA DECIMAL QUE SE USA HOY POR HOY)

 PARA REPRESENTAR GRAFICAMENTE UNA CANTIDAD, LOS MAYAS USARON SOLO **3** SIGNOS.

 LA CONCHA O CARACOLILLO PARA REPRESENTAR EL **CERO**

EL PUNTO, PARA REPRESENTAR EL NÚMERO **UNO**

LA BARRA HORIZONTAL (QUE PODÍA SER TAMBIEN VERTICAL) PARA REPRESENTAR EL NÚMERO **CINCO**

SISTEMA DE PUNTO Y BARRA PARA REPRESEN-TAR LOS NÚMEROS.

1 HUN	2 CA	3 OX	4 CAN
5 HO	6 VAC	7 UUC	8 UAXAC
9 BOLOM	10 LAHÚN	19 BOLONLAHUN	0 (CERO)

SISTEMA JEROGLÍFICO DE REPRESENTACIÓN DE LOS NÚMEROS.

 HAY DOS FORMAS DE ESCRIBIR LOS NÚMEROS:
- LA PUNTO Y BARRA
- LA JEROGLÍFICA

CLARO QUE YO PREFIERO LOS PALITOS Y LOS PUNTITOS.

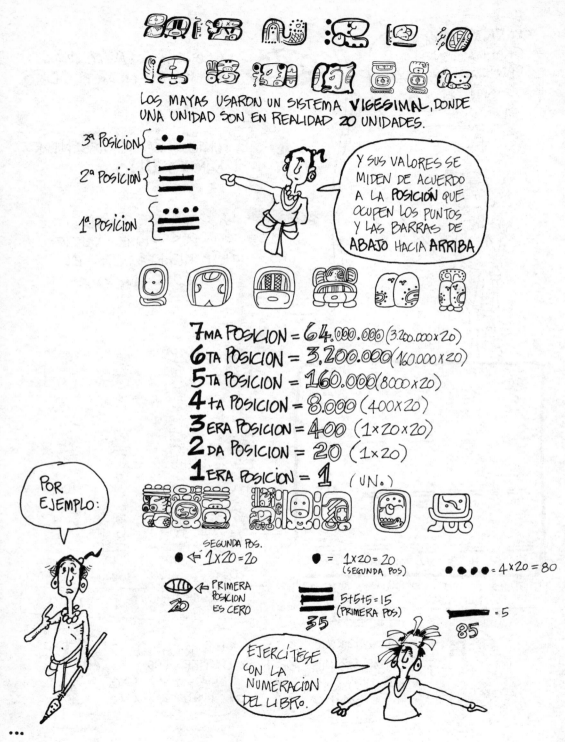

LOS MAYAS USARON UN SISTEMA **VIGESIMAL**, DONDE UNA UNIDAD SON EN REALIDAD 20 UNIDADES.

3ª POSICION

2ª POSICION

1ª POSICION

Y SUS VALORES SE MIDEN DE ACUERDO A LA **POSICIÓN** QUE OCUPEN LOS PUNTOS Y LAS BARRAS DE **ABAJO** HACIA **ARRIBA**

7MA POSICION = 64.000.000 (3.200.000 x 20)

6TA POSICION = 3.200.000 (160.000 x 20)

5TA POSICION = 160.000 (8000 x 20)

4TA POSICION = 8.000 (400 x 20)

3ERA POSICION = 400 (1 x 20 x 20)

2DA POSICION = 20 (1 x 20)

1ERA POSICION = 1 (UNO.)

POR EJEMPLO:

SEGUNDA POS.

● ⇐ 1 x 20 = 20

⬭ ⇐ PRIMERA POSICION ES CERO
20

● = 1 x 20 = 20 (SEGUNDA POS)

▬▬ 5+5+5 = 15 (PRIMERA POS)
▬▬
▬▬
35

●●●● = 4 x 20 = 80

▬▬▬ = 5
85

EJERCÍTESE CON LA NUMERACION DEL LIBRO.

LOS CALENDARIOS

HABÍA DOS TIPOS DE CALENDARIO.

• EL TZOLKÍN, CALENDARIO SAGRADO DE 260 DÍAS.

• EL HAAB, CALENDARIO CIVIL DE 365 DÍAS.

EL **TZOLKÍN** O CALENDARIO SAGRADO.

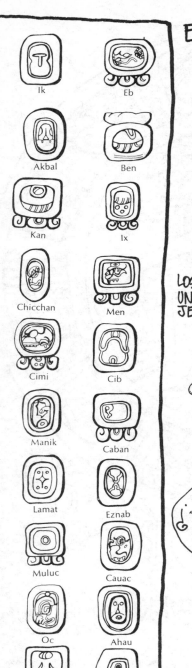

Ik — Eb
Akbal — Ben
Kan — Ix
Chicchan — Men
Cimi — Cib
Manik — Caban
Lamat — Eznab
Muluc — Cauac
Oc — Ahau
Chuen — Imix

JEROGLÍFICOS DE LOS 20 DÍAS

LOS MAYAS TENÍAN 20 NOMBRES DE DÍAS QUE SE SUCEDÍAN UNO TRAS OTRO Y QUE SE REPRESENTABAN POR MEDIO DE JEROGLÍFICOS.

¿NO SERÍA MEJOR LO DE: LUNES, MARTES, MIÉRCOLES ...ETC...?

¿Y LOS MESES?

EL TZOLKÍN **NO** SE DIVIDÍA EN MESES. CONSISTÍA EN 260 DÍAS QUE SE FORMABAN PONIENDO LOS NÚMEROS DEL **1** AL **13** A LOS VEINTE JEROGLÍFICOS DE LOS DÍAS MAYAS.

¿WHAT?

¡CADA DÍA TENÍA SU NÚMERO ANTEPUESTO!

A SABER:

1. IK
2. AKBAL
3. KAN
4. CHICCAN
5. CIMÍ
6. MANIK
7. LAMAT
8. MULUC
9. OC
10. CHUEN

11. EB
12. BEN
13. IX
14 ...

COMO SON 13 NÚMEROS Y 20 NOMBRES, AL LLEGAR AQUÍ LA COSA CAMBIA.

AL LLEGAR AL 14, EL NÚMERO VUELVE A SER 1. EJEMPLO:

1. MEN
2. CIB y ETCÉTERAS

LA COMBINACIÓN DE LOS VEINTE NOMBRES CON LOS 13 DÍAS DA UN RESULTADO DE 260 DÍAS.

DONDE EL MISMO NOMBRE -y NÚMERO- DE UN DÍA NO SE REPITE HASTA QUE PASEN 260 DÍAS.

✳ VER TABLA DE AQUÍ ABAJO.

TABLA No. 1 CALENDARIO TZOLKIN

IK	1	8	2	9	3	10	4	11	5	12	6	13	7
AKBAL	2	9	3	10	4	11	5	12	6	13	7	1	8
KAN	3	10	4	11	5	12	6	13	7	1	8	2	9
CHICCHAN	4	11	5	12	6	13	7	1	8	2	9	3	10
CIMI	5	12	6	13	7	1	8	2	9	3	10	4	11
MANIK		3	7	1	.8	2	9	3	10	4	11	5	12
LAMAT			8	2	9	3	10	4	11	5	12	6	13
MOLUC	8		9	3	10	4	11	5	12	6	13	7	1
OC	9	3	10	4	11	5	12	6	13	7	1	8	2
CHUEN	10	4	11	5	12	6	13	7	1	8	2	9	3
EB	11	5	12	6	13	7	1	8	2	9	3	10	4
BEN	12	6	13	7	1	8	2	9	3	10	4	11	5
IX	13	7	1	8	2	9	3	10	4	11	5	12	6
MEN	1	8	2	9	3	10	4	11	5	12	6	13	7
CIB	2	9	3	10	4	11	5	12	6	13	7	1	8
CABAN	3	10	4	11	5	12	6	13	7	1	8	2	9
EZNAB	4	11	5	12	6	13	7	1	8	2	9	3	10
CAUAC	5	12	6	13	7	1	8	2	9	3	10	4	11
AHAU	6	13	7	1	8	2	9	3	10	4	11	5	12
IMIX	7	1	8	2	9	3	10	4	11	5	12	6	13

EL **TZOLKÍN** FUE EL CALENDARIO MAYA MAS DIFUNDIDO EN MESOAMÉRICA Y ADEMÁS, ERA EL QUE USABA EL PUEBLO.

13. MANIK...
4. MULUC...
10. CAUAC... LLÁMENSE COMO SE LLAMEN...

...EL BULTO SIEMPRE VA ARRIBA.

LA VIDA DIARIA SE REGÍA POR EL **TZOLKÍN** QUE TAMBIÉN SE CONOCÍA COMO "CUENTA DE LOS DÍAS".

POR MEDIO DEL TZOLKÍN SE DETERMINABAN LAS ÉPOCAS DE LAS QUEMAS, DE LAS SIEMBRAS.

¡Y DE LAS GUERRAS!

LA VIDA Y EL DESTINO DEL MAYA LO DECIDÍA EL DÍA DEL TZOLKÍN EN QUE NACIERA.

EL CALENDARIO HAAB o CIVIL

Pop   Uo   Zip   Zotz   Tzec   Xul   Yaxkin   Mol   Chen   Yax

Zac   Ceh   Mac   Kankin   Muan   Pax   Kayab   Cumhu   Uayeb

-JEROGLÍFICOS DE LOS DIECINUEVE MESES DEL CALENDARIO HAAB-

ADEMÁS DEL TZOLKÍN, LOS MAYAS TENÍAN UN CALENDARIO DE 365 DÍAS LLAMADO HAAB.

O AÑO VAGO

ESTE CALENDARIO ESTABA COMPUESTO POR 19 MESES, 18 DE 20 DÍAS Y 1 MES DE 5 DÍAS DE DESTRAMPE LLAMADO **UAYEB**.

¡UN MES CON 5 DÍAS DE FIESTAS!

A CADA DÍA DEL CALENDARIO TZOLKÍN LE CORRESPONDE UNO EN EL CALENDARIO HAAB.

ESTA COMBINACIÓN CONOCÍASE COMO LA "FECHA DE LA RUEDA CALENDÁRICA"

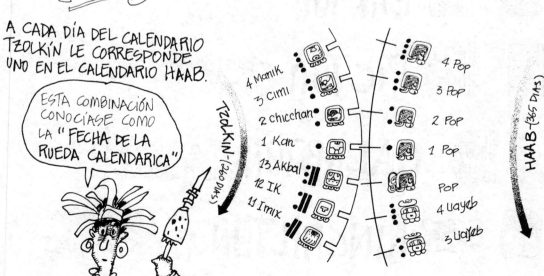

TZOLKÍN-(260 DÍAS)

4 Manik
3 Cimi
2 Chicchan
1 Kan
13 Akbal
12 Ik
11 Imix

4 Pop
3 Pop
2 Pop
1 Pop
Pop
4 Uayeb
3 Uayeb

HAAB -(365 DÍAS)

KIN = UN DÍA

  VINAL = 20 DÍAS

  TUN = 360 DÍAS

ESTOS SON LOS PERIODOS QUE SE USABAN PARA MEDIR EL TIEMPO. (CON SU JEROGLÍFICO INCLUDED).

  KATÚN = 7.200 DÍAS (O 20 TUNES)

  BAKTÚN = 114.000 DÍAS (20 KATUNES)

  PICTÚN = 2.888.000 DÍAS (20 BAKTUNES)

 CALABTÚN = 57.600.000 DÍAS (20 PICTUNES)

  KINCHILTÚN = 1.152.000.000 DÍAS (20 CALABTUNES)

EL ARTE Y LOS OFICIOS

EL ARTE SIRVE PARA DOS COSAS:
- PARA QUE NOS CREAN Y PARA QUE NOS RESPETEN.

1. PARA ESTIMULAR LA FÉ
SE CONSTRUÍAN PIRÁMIDES Y TEMPLOS CON LAS IMÁGENES DE LOS DIOSES (Y EL PUEBLO, ARRODILLADO).

2. PARA ELEVAR A LOS GOBERNANTES
SE HACÍAN BAJORRELIEVES, ESTELAS Y DINTELES QUE OSTENTABAN LAS IMÁGENES DE LOS JERARCAS EN ACTITUDES DE PREPOTENCIA.

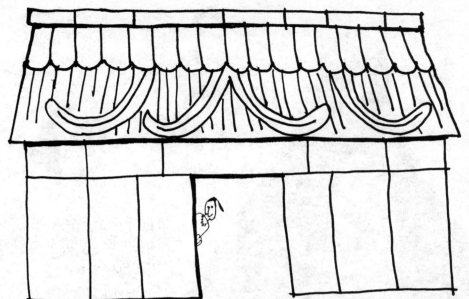

LOS ORÍGENES DE LA ARQUITECTURA MAYA SE REMONTAN A LA CHOZA DE PAJA CON SU TECHO INCLINADO A DOS AGUAS.

QUE ES LA BASE DE LA BÓVEDA DE PIEDRA SALEDIZA, O BÓVEDA MAYA.

EJEMPLOS DE BÓVEDAS MAYAS.

Y DE LAS PIRÁMIDES, ¿QUÉ?

LAS PIRÁMIDES SE USABAN como **BASES** PARA LOS TEMPLOS (QUE SON LOS CHIQUITICOS QUE APARECEN ARRIBA) Y LLEGABAN A MEDIR HASTA 45 METROS DE ALTURA.

MISMOS QUE NOS TOCABA SUBIR Y SOLTAR EL BOFE EN EL CAMINO

¡YA VOOOY!

EXCEPCIONALMENTE LAS PIRÁMIDES SE CONS-TRUYERON SOBRE TUMBAS, COMO EN EL CASO DEL TEMPLO DE LAS INSCRIPCIONES EN PALENQUE.

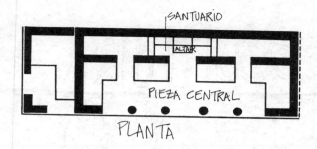

SANTUARIO

ALTAR

PIEZA CENTRAL

PLANTA

ASÍ ERA LA CASA DE UN NOBLE

SIN INTERÉS SOCIAL

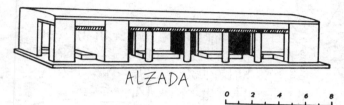

ALZADA

0 2 4 6 8
METROS

LAS FACHADAS DE LOS EDIFICIOS VARÍAN DE ACUERDO A LAS ZONAS DEL TERRITORIO MAYA, Y SIRVEN PARA ESTABLECER LOS ESTILOS ARQUITECTÓNICOS QUE SON:

ESTABA HECHA DE PIEDRA Y SU TECHO ERA PLANO, ARMADO CON VIGAS DE MADERA Y ENCIMA, UNA CAPA DE CONCRETO DE 30 CMTS DE ESPESOR. NO SE SABE CON EXACTITUD CUÁL ERA SU ALTURA.

- EL DEL PETÉN ANTIGUO
- EL PUUC
- EL DE CHICHÉN
- EL CHENES
- EL DE RIO BEC

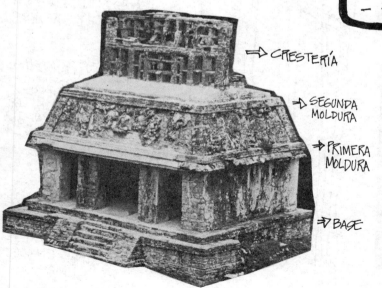

⇨ CRESTERÍA

⇨ SEGUNDA MOLDURA

⇨ PRIMERA MOLDURA

⇨ BASE

LAS FACHADAS MAYAS ESTÁN DIVIDIDAS POR DOS MOLDURAS:

• LA PRIMERA, A LA ALTURA DE LA MITAD

• LA SEGUNDA, ALREDEDOR DE LA PARTE ALTA.

LA CRESTERÍA SE COLOCA-BA ENCIMA DEL TECHO, LE AÑADÍA ALTURA AL EDI-FICIO Y RECIBÍA MUCHA DECORACIÓN.

LA ESCULTURA

ES CUESTIÓN DE ANALIZAR LAS ESCULTURAS PARA CAPTAR QUIEN, ERA EL QUE TENÍA LA SARTÉN POR EL MANGO.

POR MEDIO DE LA ESCULTURA SE PUEDE COMPROBAR EL CARÁCTER RELIGIOSO Y CIVIL QUE TENÍA LA MINORÍA DIRIGENTE.

LOS TEMAS DE LA ESCULTURA MAYA ERAN:

UNO: REPRESENTACIÓN DE DIOSES

DOS: PRESENTACIÓN DE OFRENDAS

TRES: PERSONAS IMPORTANTES POSESIONADOS DE SU PAPEL DE GOBER--NANTES

CUATRO: TIPOS DE DUDOSA CLASE SOCIAL (QUE SIEMPRE APARECEN COMO VÍCTIMAS)

1- EXTRACCION DE LA PIEDRA

PARA LAS ESCULTURAS, USABAN LOS SIGUIENTES MATERIALES:

- PIEDRA CALIZA
- PIEDRA ARENISCA
- ANDESITA — UNA PIEDRA VOLCÁNICA QUE SOLO SE USABA EN COPÁN
- MADERA — QUE SE USABA PARA LOS DINTELES GRABADOS
- ARCILLA O BARRO — CON EL QUE SE MODELABAN IDOLOS EN FORMA DE INCENSARIOS
- ESTUCO. QUE SE USABA EN LA DECORACIÓN DE LOS EDIFICIOS.

2- TRANSPORTE DE LA PIEDRA

3- LEVANTAMIENTO DE LA PIEDRA

4- GRABADO DE LA PIEDRA

LA PINTURA

SE USABA PARA DECORAR PAREDES, CERAMICAS Y CÓDICES.

LO MAS DIFÍCIL SON ESOS TOCADOS DEL DIABLO QUE USAN

LOS COLORES QUE USABAN ERAN SACADOS DE LOS VEGETALES Y DE LOS MINERALES:

EL ROJO LO SACABAN DE HEMALITES
EL AMARILLO, DE UNA ARCILLA
EL NEGRO, DEL CARBÓN Y EL
AZUL, NO SÉ.

HACÍAN TODAS LAS COMBINACIONES HABIDAS Y POR HABER: MATICES DE ROJO, DE AMARILLO Y DE VERDES.

SE CONOCE LA PINTURA MAYA POR MURALES QUE DATAN DESDE EL CLÁSICO TEMPRANO (SIGLO V D.C.) HASTA EL POSTCLÁSICO TARDÍO (SIGLO XV D.C.)

TANTO POR HACER EN EL ARTE Y YO AQUÍ PINTANDO CÓDICES...

LA CERAMICA

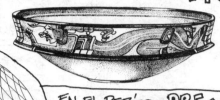

EN EL PERÍODO **PRECLÁSICO** LA DECORACIÓN DE LAS CERÁMICAS CONSISTÍA EN HACER INCISIONES O LÍNEAS CON ALGÚN OBJETO SOBRE EL BARRO.

TAMBIÉN USÁBAMOS LAS UÑAS

EN EL **PROTOCLÁSICO** SALE LA DECORACIÓN PINTADA DE 2 COLORES CON MOTIVOS GEOMÉTRICOS SIMPLES. YA EN EL **CLÁSICO** YA SE USAN TODOS LOS COLORES CON TEMAS DE ANIMALES ESTILIZADOS, INSCRIPCIONES JEROGLÍFICAS, PERSONAJES CIVILES, Y SÍMBOLOS RELIGIOSOS.

Y EN EL **POSTCLÁSICO** APARECE LA CERÁMICA ANARANJADA: NUEVAS FORMAS, ACABADO PLOMIZO Y DECORA-CIÓN INCISA, GRABADA O IMPRESA CON UN SELLO.

••••

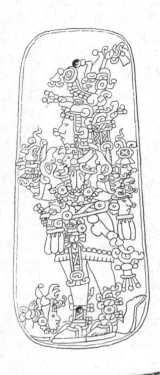

LA LAPIDARIA

SE PUEDE OBSERVAR EL ARTE LAPIDARIO DE LOS MAYAS, EN LOS GRABADOS DE JADE QUE DATAN DEL **PRECLÁSICO**.

LA FAMOSA **PLACA DE LEYDEN** QUE ES UNO DE LOS OBJETOS GRABADOS MÁS ANTIGUOS ES DEL 320 D.C. Y MIDE 21 cmts DE LARGO

LA GRAN MAYORÍA DE ESTOS OBJETOS SE USABA ENTRE LA GENTE PESADA, COMO LOS JERARCAS DE LA SOCIEDAD QUE DEMANDABAN MUCHO ADORNO, DIADEMAS, ETC...

¿OTRAS ARTES QUE LOS MAYAS DESARROLLARON?

- TEJIDO
- ORFEBRERÍA
- MOSAICOS
- TEATRO
- LITERATURA

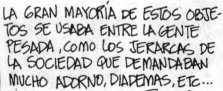

Y OTROS ETCÉTERAS

LA MÚSICA,
(SALSA Y SABOR)

LA MÚSICA DE
LOS MAYAS ES
PENTAFÓNICA
(DE CINCO TONOS)
COMO LA USADA POR LOS
PUEBLOS ANTIGUOS...

¿LUCY IN THE SKY
WITH DIAMONDS?
- NO SÉ SI ME
LAS SÉ.

LA MÚSICA MAYA TIENE MAS RITMO
QUE ARMONÍA Y ESTÁ MUY LIGADA
CON EL CANTO Y CON LA DANZA.

HABÍA MUCHO INSTRUMENTO DE VIENTO.

SOBRE TODO PARA EL CALOR QUE HACE EN ABRIL Y MAYO.

TENÍAN UNAS TROMPETAS LARGAS Y DELGADAS...

TAMBIÉN ESTABAN LOS CARACOLES MARINOS QUE PRODUCÍAN UN SONIDO QUE PONÍA LOS PELOS DE PUNTA.

TENÍAN OCARINAS, Y SILBATOS Y ADEMÁS OTRO TIPO DE INSTRUMENTOS QUE USABAN MUCHO COMO LOS CASCABELES DE COBRE, LOS RASPADORES DE HUESO O DE CONCHA DE MAR Y LAS SONAJAS, HECHAS DE FRUTOS GLOBOSOS SECOS O DE BARRO COCIDO.

¡QUE SUENE LA SONAJA!

TENÍAN INSTRUMENTOS DE PERCUSIÓN Y DE VIENTO.

ZACATLÁN

PARA EL TAM-TAM TENÍAN EL ZACATLÁN

EL ZACATLÁN ERA UNA ESPECIE DE TAMBOR GRANDE (A VECES DE MÁS DE UN METRO DE ALTO), HECHO DE UN TRONCO AHUECADO Y CON UNA SOLA ABERTURA.

PARA EL TUM-TUM, EL TUMKUL

SE HACÍA POR LO GENERAL, DE UN TRONCO DE ZAPOTE, CON DOS LENGÜETAS EN LA PARTE SUPERIOR CORTADAS EN FORMA DE "H". CADA LENGÜETA TENÍA UN SONIDO DISTINTO DE TANTA RESONANCIA, QUE ERA ESCUCHADO A LARGA DISTANCIA.

Y TENÍAMOS LA CONCHA DE TORTUGA A LA QUE LE DÁBAMOS CON PALITOS O CON ASTAS DE VENADO.

EL RIÑÓN, ¡CHÍN!
...NO ENCUENTRO
EL CORAZÓN.

LOS (GULP) SACRIFICIOS

LOS MAYAS SACRIFICABAN GENTE DESDE SIEMPRE PERO LA COSA AGARRÓ FUERZA CON LA INFLUENCIA DE LOS MEXICAS QUE LLEGARON DE TULA

ERA CUESTIÓN
DE ABRIR
PECHO Y SACAR
EL MANGO

LAS VÍCTIMAS ERAN CASI SIEMPRE PRISIONEROS DE GUERRA Y EN ESPECIAL, GENTE DE LA CREMA Y NATA ENEMIGA.

CONSTE QUE TAMBIÉN
NOS ECHAMOS A LOS
ESCLAVOS, LOS NIÑOS
Y EN FIN, EL QUE SE
CRUCE POR DELANTE.

LOS ESCLAVOS ERAN SACRIFICADOS CUANDO SUS AMOS LO DISPONÍAN. LOS NIÑOS Y NIÑAS, CUANDO SUS PADRES LOS DONABAN O CUANDO ERAN VENDIDOS, POR SECUESTRA-DORES QUE TENÍAN, POR OFICIO, LA BÚSQUEDA DE VÍCTIMAS.

HABÍA QUIEN SE SACRIFICABA "MOTI PROPIO" PARA PERPETUAR SU MEMORIA... (VAYA MANERA)

SE USÓ MUCHO EL ESTILO DE "CLAVADOS" QUE CONSISTÍA EN ARROJAR INDIVIDUOS AL CENOTE SAGRADO DE CHICHÉN ITZÁ

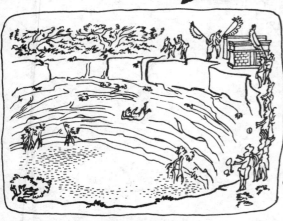

TAMBIÉN SE TIRABA GENTE AL CENOTE PARA CALMAR LA IRA DE ALGÚN DIOS Y PARA CONOCER SUS DESIGNIOS POR LOS TESTIMONIOS DE ALGÚN SOBREVIVIENTE... (NUNCA HUBO TESTIMONIOS, CLARO)

LOS RITOS FUNERARIOS

LOS ENTIERROS Y RITOS FUNERARIOS SE HACÍAN DE ACUERDO A LA CONDICIÓN SOCIAL Y ECONÓMICA DEL MUERTO.

¡SE MURIÓ CHILAM BALAM!

¿CUÁNTO ES SU PATRIMONIO LÍQUIDO GRAVABLE?

CUANDO MORÍA UN SEÑOR DE GRAN ALCURNIA Y DE ALTO COTURNO, SE LE CREMABA HASTA LA CREMA Y SE GUARDABAN SUS CENIZAS...

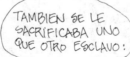

TAMBIÉN SE LE SACRIFICABA UNO QUE OTRO ESCLAVO.

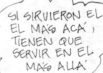

SI SIRVIERON EL EL MÁS ACÁ, TIENEN QUE SERVIR EN EL MÁS ALLÁ.

EL VIVO AL BOLLO Y EL MUERTO AL HOYO.

CUANDO UN MAYA SE MORÍA, SE LE AMORTAJABA PONIÉNDOLE EN LA BOCA UNA PASTA DE MAÍZ MOLIDO (KEYÉN) PARA QUE NO SE MURIERA DE HAMBRE DURANTE EL VIAJE.

A LA PLEBE, MAÍZ. A NOSOTROS, MONEDITAS DE JADE.

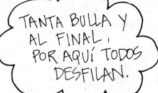

A LOS PLEBEYOS O GENTE COMÚN, SE LES ENTERRABA BAJO EL PISO O EN EL PATIO DE LA CASA, QUE ABANDONABAN EN SEGUIDA POR EL PAVOR QUE TENÍAN A LOS MUERTOS.

TANTA BULLA Y AL FINAL, POR AQUÍ TODOS DESFILAN.

LA AGRICULTURA

CULTIVAR EL MAÍZ PARA LOS MAYAS ERA UNA ACTIVIDAD CASI RELIGIOSA.

CHAAC

LAS COSAS DEPENDÍAN DE ESTE VIEJO.

EL MÉTODO DE CULTIVO ERA PRIMITIVO: COMO NO TENÍAN MEDIOS PARA PRACTICAR LA IRRIGACIÓN ARTIFICIAL, LAS COSECHAS DEPENDÍAN EXCLUSIVAMENTE DE LAS LLUVIAS (DEL SEÑOR CHAAC, PARA SER CLAROS).

LA OPERACIÓN EMPEZABA CON EL PROCESO DE *TALA* DEL BOSQUE...

¡ABAJOOO!

...QUE SE HACÍA EN INVIERNO, EN LOS MESES DE DICIEMBRE A FEBRERO

SUAVE CON LA ECOLOGÍA, SEÑORES.

¡LA QUEMA!

A FINALES DE MARZO, O A PRINCIPIOS DE ABRIL, CUANDO LO CORTADO YA ESTABA SECO, ENTONCES SE **QUEMABA** EL CAMPO.

CUANDO REVENTABAN LAS LLUVIAS A FINES DE MAYO O A PRINCIPIOS DE JUNIO, ERA CUANDO SE PLANTABA LA SEMILLA.

Y CON ESTE SOL COCINERO DE GENTE

USÁBAMOS ESTE PALO, CUYA PUNTA ERA FILOSA O DE COBRE SE LLAMABA **XUL**

CON EL CÉLEBRE **XUL**, SE HACÍAN UNOS HUECOS, DONDE SE DEPOSITABAN ALGUNOS GRANOS DE MAIZ MEZCLADOS CON SEMILLAS DE CALABAZA Y FRIJOL.

CUANDO LAS MILPAS IBAN CRECIENDO, SE **LIMPIABAN** DE LA YERBA QUE LAS INVADÍA.

¿Y A QUE HORAS LO COMEMOS?

CUANDO EL MAIZ ESTABA MADURO, SE DOBLABAN LAS CAÑAS PARA PROTEGER LA MAZORCA DE LA HUMEDAD.

LA RECOLECCIÓN DEL MAIZ SE HACÍA EN EL TIEMPO APROPIADO.

RECOGÍAMOS EL DE CONSUMO INMEDIATO, Y EL SOBRANTE SE GUARDABA

"RECOGÍAMOS" ES MUCHA GENTE.

AL AÑO SIGUIENTE SE VOLVÍA A USAR EL MISMO TERRENO, OTRA VEZ SE QUEMABAN LAS CAÑAS Y SE CORTABA LA MALEZA. ESTO SE REPETÍA POR 3 Ó 4 AÑOS, LUEGO SE ABANDONABA LA TIERRA

¡YO TAMBIEN ME CANSO, COÑO!

SE BUSCABAN OTRO HERMOSO TERRENO PARA REPETIR LA OPERACIÓN.

TOTAL, TIERRA ES LO QUE SOBRA.

HABÍA QUE CAMBIAR DE TERRENO PORQUE POCO A POCO LA COSECHA DISMINUÍA Y LA TIERRA SE EMPOBRECÍA

Y ASÍ NO HABRÍA TORTILLAS NI PARA ENGAÑAR LA PANZA.

GRAUNCH

NO SÓLO DE MAÍZ VIVE EL MAYA

TAMBIEN SE CULTIVABA:
- FRIJOL NEGRO (XCOL, TZAMÁ)
- EL CHILE (IX)
- LA CHAYA (CHAY)
- TOMATE (P'AC)
- CAMOTE (IZ)
- JÍCAMA (CHICAM)
- CALABAZA (KUN XCÁ)
- YUCA (TZÍN)

¿Y ARBOLES FRUTALES?
AGUACATE (ON)
ANONA (OP)
CIRUELA (ABAL)
PAPAYA (PUT)
NANCE (CHI')
CHICOZAPOTE (YÁ)
UAYO (UAYUM)
SARAMUYO (DZALMUY)

LA ALIMENTACIÓN

¿YA CAPTÓ CUAL ERA EL ALIMENTO BÁSICO?

VA DE NUEVO: SEÑOR, EL ALIMENTO BÁSICO DE LA GENTE MAYA ERA ¡EL MAIZ, CARAJO!

EL MAIZ SE COMPLEMENTABA CON LA CARNE DE ALGUNOS ANIMALES.

A SABER:
- EL PAVO (TZÓ)
- LA TÓRTOLA (MUCUY)
- LA PALOMA (TZU TZUY)
- PATOS (CUTZHÁ)
(Y UNA ESPECIE DE PERRO PELÓN).

TAMBIEN SE CAZABAN:
- EL VENADO (Y EL FAISAN, OF COURSE)
- EL JABALÍ (KITAM)
- EL CONEJO (THUL)
- EL ARMADILLO (UECH)
- LA CODORNIZ (BEECH)
- EL COX
- EL TEPESCUINCLE
- EL PAVO DE MONTE
... Y LO QUE SE CRUZARA

LAS CACERÍAS NO SE HACÍAN A LA "TÓPA TOLÓNDRA", ERA UNA CUESTIÓN ORGANIZADA:

¡EL BICHO ES DEL QUE LO TRABAJA!

¡PUES NO! EL BICHO SE REPARTÍA ENTRE TODOS LOS CAZADORES, Y HASTA AQUÍ LA COSA SERÍA BASTANTE "SOCIAL"; DE NO SER PORQUE...

¿Y EL BATAB Y SACERDOTES QUEEEÉ?

HABÍA QUE DEJARLES UNA CUOTA "BICHAL" DEL BICHO. (HABRÁSE VISTO).

¡A MÍ ME GUSTA EL BUCHE!

EL QUE LLEGARA A CAZAR UN VENADO O UN JABALÍ, SE PEDÍA LO QUE MÁS LE GUSTA- RA. EL RESTO, PARA LOS OTROS

CUANDO LA CAZA SA- LÍA BUENA, EMBADUR- NABAN CON SANGRE A SUS ÍDOLOS. SI NO SALÍA BUENA, LOS FLAGELABAN.

...Y NI SIQUIERA UN VENADITO... ¡YA VERÁS!

LES GUSTABA MUCHO LA CARNE DE PESCADO, QUE SE CONSUMÍA EN CANTIDADES INDUSTRIALES. LA SEMILLA DE CALABAZA ERA IMPORTANTE EN LA DIETA MAYA.

LA CALABAZA ES PURA GRASA

LA MIEL SE UTILIZABA MUCHO, SOBRE TODO, PARA LA PREPARACIÓN DE UN LICORCILLO FERMENTADO QUE SE BEBÍA EN TODOS LOS RITUALES.

¡EL BALCHÉ!

BALCHE

¿ME PASA LA SALSA?

EN LOS BANQUETES RITUALES, LOS MAYAS COMÍAN Y BEBÍAN COMO DEMENTES. PERO EN LA VIDA DIARIA ERAN SOBRIOS Y COMEDIDOS.

OTRA VEZ

EL MAÍZ SE PODÍA PREPARAR COMO:
TORTILLAS (UAH)
ATOLE (ZA')
POZOLE (KEYEM)
TAMALES (MUXUBAAK)

CUANDO AMANECÍA, LOS MAYAS TOMABAN MAÍZ DISUELTO EN AGUA CALIENTE

¡CON SU SAL Y SU CHILITO!

EN OCASIONES LO QUE TOMABAN ERA UNA BEBIDA HECHA DE PINOLE O MAÍZ TOSTADO, MOLIDO Y DISUELTO EN AGUA.

¿TORTILLAS? PARA LA PLEBE

NOSOTROS DESAYUNAMOS CACAO

EN EL TRABAJO, BAJO UN SOL CANICULAR, TOMABAN POZOLE DISUELTO EN AGUA

DE REGRESO AL HOGAR DULCE HOGAR, TOMABAN LA ÚNICA COMIDA DEL DÍA (ALMUERZO Y CENA AL MISMO TIEMPO) QUE CONSISTÍA EN TORTILLAS CON SAL Y CHILE, SANCOCHO DE FRIJOLES Y PURÉ DE CALABAZA.

LA PRODUCCIÓN

¡QUE CAIGAN LOS BILLETES!

UNA DE LAS FUENTES DE INGRESO MÁS IMPORTANTES ERA LA **SAL**, QUE SE USABA PARA EL CONSUMO INTERNO, Y PARA LA EXPORTACIÓN. ERA VITAL EN LA ECONO- -MÍA DE LOS MAYAS.

CON LA SAL SE CONSERVA LA CARNE Y SE PAGAN TRIBUTOS

LAS SALINAS ERAN DE "PROPIEDAD COMÚN"

¿COMÚN? HAY QUE DARLE UNA PARTE A LOS JEFES

EN CUANTO A TELAS, LAS PLANTAS TEXTILES ERAN:

- EL ALGODÓN (TAMAM)
- LA CEIBA (YAX CHE)
- EL POCHOTE (CHO o PIIN)
- EL HENEQUÉN (KI)

EL PAPEL SE HACÍA DE LA CORTEZA DEL COPO

DEL LÁTEX DEL ZAPOTE HACÍAMOS CHICLE Y DEL POOM, RESINAS AROMÁTICAS

OTRO IMPORTANTE EN LA PRODUCCIÓN, FUE LA **MIEL** DE ABEJAS, QUE SACABAN DE LAS ABEJAS, PARA QUE QUEDE CLARO

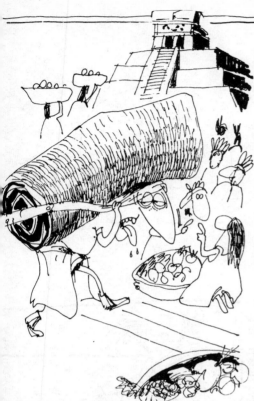

EL COMERCIO

PARA LOS MENTADOS MAYAS, EL COMERCIO ERA (COMO PARA TODO EL MUNDO) IMPORTANTE.

TENÍAN EL COMERCIO TERRESTRE PARA EL QUE USABAN LOS CARGADORES O TAMENES

Y EL COMERCIO MARÍTIMO CON REGIONES TAN APARTADADAS COMO TABASCO, VERACRUZ Y HONDURAS.

PARA LAS NEGOCIACIONES SE USABA EL **TRUEQUE**. SIN EMBARGO, SE UTILIZABAN GRANOS DE CACAO, CUENTAS DE JADE O CONCHAS MUY DIFÍCILES DE CONSEGUIR, COMO EL CIRCULANTE: ¡LA MONEDA, HOMBRE!

SE IMPORTABAN (CUANDO NO HABÍA CIERRE) JADE, PLUMAS, ORO, VIDRIOS, METALES, CONCHAS Y CERÁMICAS.

NI GRANOS, NI CONCHITAS DEVALUADAS. ¡DOLARETES, MI AMIGO!

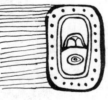
CON GUATEMALA SE CAMBIABAN POR CACAO LOS ESCLAVOS, LA SAL, LA MIEL Y LOS TEJIDOS.

99

HABÍA TODA CLASE DE COMERCIANTES, LOS RICACHONES
DE LA NOBLEZA, LOS QUE SE PREOCUPABAN (LLENOS DE
"STRESS") Y LOS QUE SOBREVIVÍAN (LLENOS DE DEUDAS)
... Y LOS QUE QUEBRABAN (LLENOS DE TIERRA).

EL DERECHO

EL DERECHO ENTRE LOS MAYAS ERA EL LLAMADO DERECHO CONSUETUDINARIO PORQUE ESTABA FUNDAMENTADO EN EL USO Y LA COSTUMBRE.

LA CUESTIÓN ERA PSICO-RÍGIDA: HABÍA DELITOS QUE SE PAGABAN CON LA VIDA.

LOS PLEITOS, JUICIOS, CONTRATOS Y OTROS ETCÉTERAS ERAN ORALES Y TOMABAN PARTE JUECES, LITIGANTES Y TESTIGOS.

LOS JUECES RECIBÍAN REGALOS DE LAS PARTES EN PLEITO.

PERO (DICEN) A PESAR DE TODO ERAN IMPARCIALES

FUERON 17 PUÑALADAS, PERO SIN INTENCIÓN

TENÍAN LA DISTINCIÓN ENTRE LOS DELITOS COMETIDOS CON "PREMEDITACIÓN, ALEVOSÍA Y VENTAJA", Y LOS DELITOS NO CAUSALES.
NO EXISTÍA LA CÁRCEL, A LOS CULPABLES SE LES CONDENA-BA A MUERTE, O SE LES SOMETÍA A TRABAJOS FORZADOS.

LA ESCLAVITUD ERA UNA SANCIÓN LEGAL, ASÍ COMO PONER AL CULPABLE EN MANOS DEL OFENDI-DO, AÚN EN CASOS DE HOMICIDIO.
SE BASABAN EN LA VENGANZA, NO EN LA PROTECCIÓN DE LA SOCIEDAD.

OJO POR DIENTE Y DIENTE POR OJO, CARAJO

POR DEUDAS NO APRESABAN A NADIE.
-NADIE FIABA-

LOS PARIENTES DEL DEUDOR TENÍAN QUE PAGAR LAS DEUDAS.
A LOS RATEROS SE LES OBLIGABA A DEVOLVER LO ROBADO (O ALGO DEL MISMO VALOR) DE NO HACERLO, PAGABA CON UNA CUOTA DE ESCLAVITUD.

EL ADULTERIO, LA TRAICIÓN EL INCENDIO, LA VIOLACIÓN Y EL HOMICIDIO, ERAN PENA DE MUERTE SEGURA

A LOS PRESOS SE LES ATABAN LAS MANOS A LA ESPALDA Y SE LES PONÍA UNA COLLERA AL CUELLO

← UN CASTIGO DEGRADANTE ERA RAPAR AL DELINCUENTE

LAS COSTUMBRES

PERO LO CONSIDERABAN "BELLO" (CADA LOCO CON SU TEMA).
ES LO QUE SE LLAMA "DEFORMACION DEL CRANEO"

A LOS 4 DIAS DE NACIDO, LO "EJECUTABAN"

LO QUE NO SE ES PORQUE ME DICEN "CABEZA DE MANGO".

TAMBIEN LES PARECIA SUBLIME EL QUE LOS NIÑOS ESTUVIERAN BIZCOS. LES COLGABAN, A LOS NIÑOS, DEL CABE-LLO, UNAS BOLAS DE RESINA, QUE LO OBLIGABAN A TORCER LOS OJOS...

...103

LOS VESTIDOS

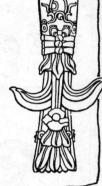

• TIPOS DE EX o BRAGAS MAYAS.

EL VESTIDO DE LOS HOMBRES SE COMPONÍA DE:

EL EX

QUE ERA UNA BANDA DE TELA DE ALGODÓN DE 5 DEDOS DE ANCHO QUE SE ENROLLABA EN LA CINTURA QUEDANDO DOS CABOS SUELTOS.

¿Y PARA IR AL BAÑO..?

EL XICUL

ERA UNA ESPECIE DE CHAQUETA SIN MANGAS, DE COLORES CHILLONES, QUE EN OCASIONES SE ADORNABA CON TEJIDOS Y PLUMAS.

EL SUYÉN o PATÍ

ERA UNA MANTA CUADRADA QUE SE LA PASABAN BAJO EL BRAZO DERECHO Y SE ANUDABA BAJO EL BRAZO IZQUIERDO.

LOS POBRES LA USABAN COMO SÁBANA.

¡HUMPF! CHUSMA AL FIN AL CABO

ZZZ

DARÍA EL ALMA POR UNA TANGA

→ HUIPIL

→ PIC

LAS MUJERES USABAN:
EL **HUIPIL**, QUE ERA UN SACO LARGO Y ANCHO, ABIERTO POR AMBAS PARTES,
EL **PIC** O ENAGUA QUE ERA LO QUE SE PONÍAN DEBAJO DEL HUIPIL.
TAMBIÉN USABAN EL SOSTÉN, UNA MANTA QUE SE ATABAN BAJO EL SOBACO Y SOSTENÍA LAS...

LOS HOMBRES Y LAS MUJERES USABAN EL **XANAB** O SANDALIA DE CUERO DE VENADO Y QUE HABÍA DE TODAS LAS TALLAS Y FORMAS (DE ACUERDO AL PRESUPUESTO)

POR TOCADOS NO PARAMOS

EL TOCADO ERA UN ORNAMENTO QUE DENOTABA ALCURNIA.
EL ARMAZÓN ERA DE MIMBRE Y SE RECUBRÍA CON PLUMAS.

¿NO ESTÁ "CHIC"?

NO PUEÑO ÑESPIÑAN.

ADORNOS

SE ABRÍAN UN HOYO EN LA NARIZ PARA PONERSE ALLÍ UNA PIEDRA DE ÁMBAR.

EN ESE MISMO HOYO NASAL SE ENSARTABAN UNAS PRECIOSAS NARIGUERAS.

¿CARIES? ¡NO, ESTÚPIDO! ES OBSIDIANA

SIN CONFUNDIR, COMPADRE... SIN CONFUNDIR

TODO UN PATRIMONIO ECONÓMICO DE JADE, AMBAR Y OBSIDIANA, SE LO INCRUSTABAN EN LOS DIENTES, (QUE A VECES SE LIMABAN EN FORMA DE SIERRA)

HOMBRES Y MUJERES SE PERFORABAN EL LÓBULO DE LA OREJA PARA PONERSE LOS ARETES.

DE AZUL NOS PINTÁBAMOS PARA LAS CEREMONIAS

SE PINTABAN DE ROJO Y NEGRO, COLOR ESTE QUE SE USABA PARA LOS AYUNOS.

← MAYA QUE NO SE PUDO QUITAR EL NEGRO.

EL PROCESO PARA PONER EL NOMBRE ENTRE LOS MAYAS, TENÍA 4 FASES:

1. PAAL KABÁ.

ESTE ERA LO QUE PARA NOSOTROS ES EL NOMBRE DE PILA. PARA ESTE NOMBRE SE USABAN LOS DE ANIMALES O PLANTAS.

BURRO RODRÍGUEZ, POR EJEMPLO.

A ESTE "NOMBRE DE PILA", QUE PODÍA SER CHUY (GAVILÁN) O KEH (VENADO), SE LE PONÍA POR DELANTE UN PREFIJO. AH SI ERA HOMBRE IX O X SI ERA MUJER Y A ESTOS SE LES PONÍA EL APELLIDO DEL PADRE.

SALÍAN NOMBRES COMO:

AH CHUY MAY, (GAVILÁN)

AH KEH HUCHIM (VENADO)

2. NAAL KABÁ

DESPUES DEL MATRIMONIO, EL PAAL-KABA SE LES CAMBIABA A LOS MAYAS POR EL NAAL KABÁ, EN LA QUE LA PALABRA **NA** —QUE SIGNIFICA MADRE— SIGUE AL NOMBRE COMÚN Y DESPUES VIENE EL APELLIDO PATERNO.

¿MI NOMBRE? ¿DE CASADO O DE SOLTERO?

- NACHI COCOM
- NA POOT XIU
- NA CHAN CHEL

(NOMBRE COMÚN) (APELLIDO PATERNO)

3. COCO KABÁ

ERA NADA MAS Y NADA MENOS QUE EL APODO QUE SE LE ENDOSABA A LA GENTE

¡UBRE NEGRA!

EJEMPLO:
- AH XOCHIL ICH
(CARA DE LECHUZA)

4. NOMBRE PROFESIONAL

ERA EL NOMBRE DEL OFICIO QUE EL TIPO EJERCÍA

POR EJEMPLO:

- CHILAM BALAM
(EL PROFETA BALAM)

- AH KIN CHI
(EL SACERDOTE CHI)

Y CON ESTO TIRAMOS LA ÚLTIMA PIEDRA DE ESTOS "MAYAS EN LAS ROCAS". ROCAS EN LAS CUALES, EL AUTOR CAMINÓ -DESCALZO Y A PLENO SOL- PARA LLEVAR A USTED -PACIENTE LECTOR- UNA SOMERÍSIMA RELACIÓN DE LO QUE FUE (Y SIGUE SIENDO) ESTE GRANDIOSO PUEBLO DE FAISANES Y VENADOS (AUNQUE NO HAY YA VENADOS, Y MUCHO MENOS FAISANES)

SOLO FALTA DECIR LA DESPEDIDA Y PARA QUE LA COSA SEA COMO DEBE SER REPETIREMOS LO QUE EL ESCLAVO **AH TZAB KUMUN**, DIJO A SU SEÑOR SEGUNDOS ANTES DE QUE LE CORTARAN LA LENGUA:

"U XUL IN T'AN LA'

(ESTE ES EL FIN DE MIS PALABRAS)

Y DE LAS MÍAS TAMBIÉN

BIBLIOGRAFÍA

- CANTO LOPEZ ANTONIO
  APUNTACIONES SOBRE MESOAMÉRICA/
  UNIVERSIDAD AUTÓNOMA DE YUCATÁN.

- CASTILLO PERAZA CARLOS
  HISTORIA DE YUCATÁN
  EDICIONES DANTE/MÉRIDA, YUC 1.984

- COE MICHAEL D.
  THE MAYA
  THAMES AND HUDSON/LONDON 1.984

- GALLENKAMP CHARLES
  LOS MAYAS
  EDITORIAL DIANA/MÉXICO 1.976

- MORLEY SYLVANUS
  LA CIVILIZACIÓN MAYA,
  FONDO DE CULTURA ECONÓMICA/MEX. 1985

- SODI DEMETRIO
  LOS MAYAS
  PANORAMA/MÉXICO/1982

- THOMPSON J. ERIC
  GRANDEZA Y DECADENCIA DE LOS MAYAS
  FONDO DE CULTURA ECONÓMICA/MEX 1985

- THOMPSON J. ERIC
  HISTORIA Y RELIGIÓN DE LOS MAYAS
  SIGLO XXI /MÉXICO 1.985

- TURNER WILSON
  MAYA DESIGN
  USA /1.980.

Este libro se terminó de imprimir en abril de 2001
en los talleres de Marco Impresores
Atrio de San Francisco No. 67
Col. San Francisco Coyoacan, México, 04320 D. F.
Su tiraje fue de mil ejemplares mas
sobrantes para reposición.